An Zombaí

Enric Lluch / Oriol Hernández

LEABHAR
BREAC

Bhí zombaí ag teastáil
ón draoi don chomórtas mór.
Roghnaigh sé uaigh sa reilig, dhoirt
sé an púdar draíochta os a chionn,
agus d'fhan sé... agus d'fhan sé.
Nuair nár tháinig an zombaí aníos as an
uaigh, b'éigean don draoi dul ag tochailt.

Bhí an zombaí chomh leisciúil nach gcorródh sé as an gcónra. 'Sílim gur roghnaigh mé droch-cheann,' arsa an draoi leis féin.

'Fág i mo chodladh mé, tamaillín beag eile,' arsa an zombaí.

Sa deireadh, d'éirigh an zombaí
aníos as an gcónra.
'Sín amach do dhá lámh,' arsa an
draoi leis, 'agus cas do dhá shúil siar
i do cheann.'

Ach bhí an zombaí ag titim
ar fud na háite. Bhí an draoi
ag éirí crosta leis.
Tháinig imní air nuair a chonaic sé
fear ard dorcha ag teacht ina dhiaidh.

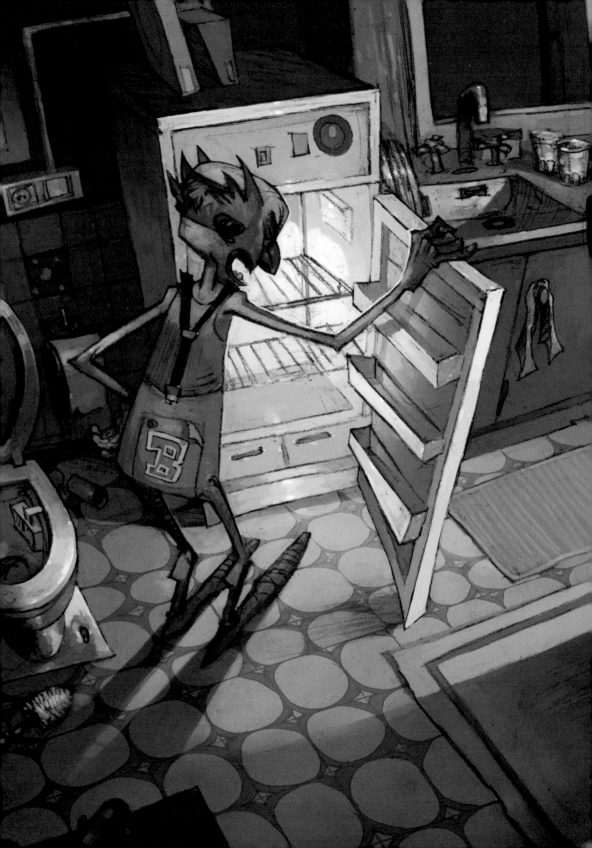

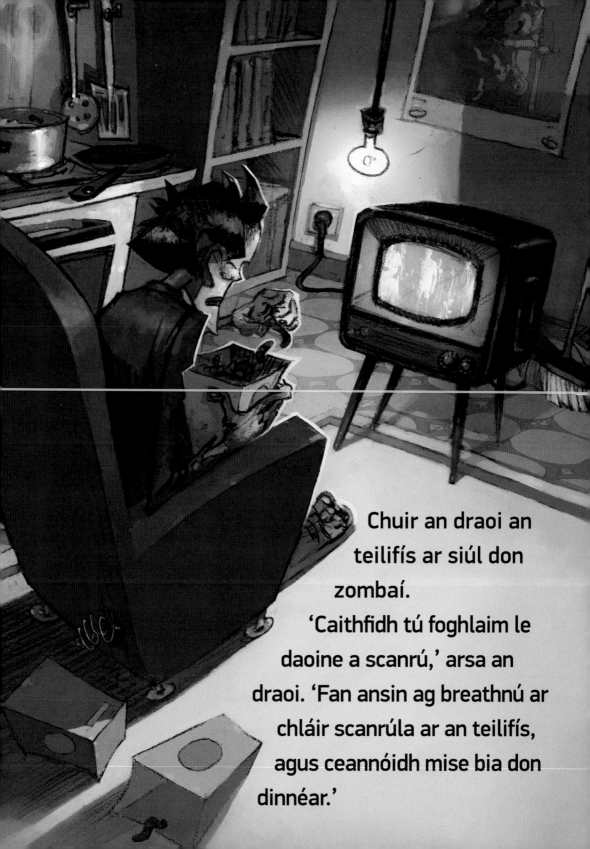

Chuir an draoi an teilifís ar siúl don zombaí.

'Caithfidh tú foghlaim le daoine a scanrú,' arsa an draoi. 'Fan ansin ag breathnú ar chláir scanrúla ar an teilifís, agus ceannóidh mise bia don dinnéar.'

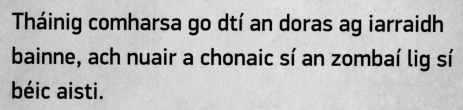

Tháinig comharsa go dtí an doras ag iarraidh bainne, ach nuair a chonaic sí an zombaí lig sí béic aisti.

'Ná bíodh faitíos ort,' arsa an draoi.

'Níl aon dochar ann.'

Chuaigh an zombaí amach ar an tsráid ag cleachtadh.

'Breathnaigh romhat, a phleota,' a bhéic an tiománaí tacsaí leis.

'Ní féidir liom aon rud a fheiceáil,' arsa an zombaí. 'Tá an dá shúil casta siar i mo cheann.'

Thug an draoi amach sa charr é. Bhí siad ag dul go comórtas mór na zombaithe.

Chonaic sé an fear dorcha arís. 'Chaithfeadh sé go bhfuil sé dár leanúint.'

Bhí míle draoi agus míle zombaí sa chomórtas. Labhair fear an tí: 'Iarrfaidh mé ar an Draoi Ó Draíochta agus an Zombaí Ó Zé teacht ar an ardán.'

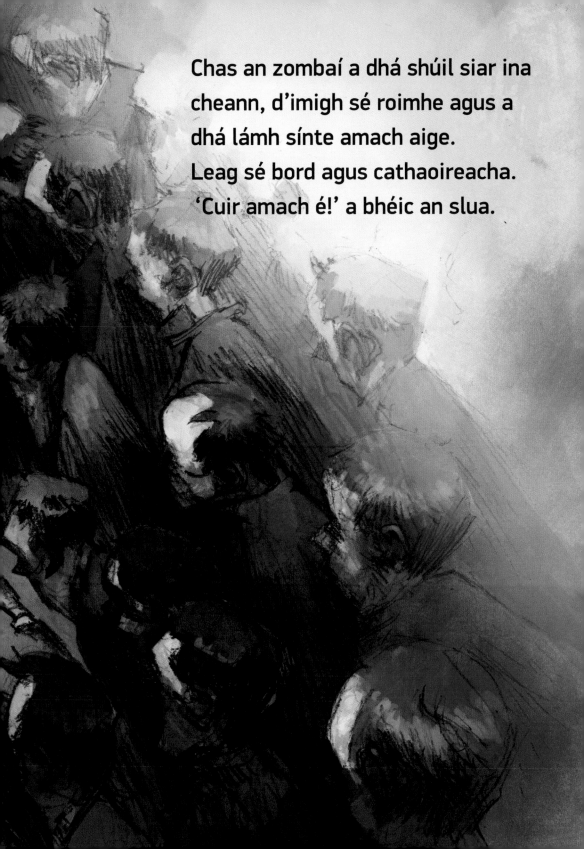

Chas an zombaí a dhá shúil siar ina cheann, d'imigh sé roimhe agus a dhá lámh sínte amach aige.

Leag sé bord agus cathaoireacha.

'Cuir amach é!' a bhéic an slua.

Bhí an draoi ar buile.
'Gabh amach as seo, a phleidhce!' ar sé.
Ba ghearr go raibh an zombaí ina aonar
taobh amuigh.

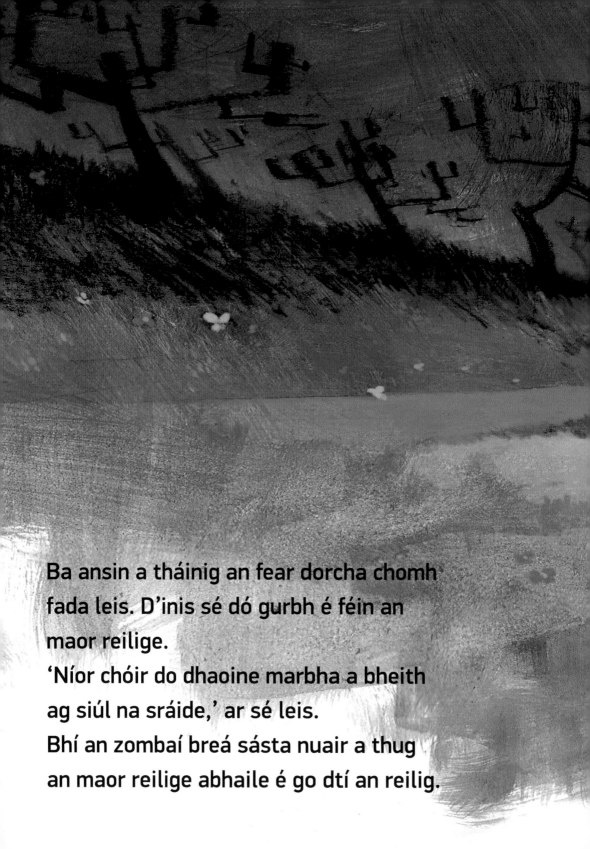

Ba ansin a tháinig an fear dorcha chomh
fada leis. D'inis sé dó gurbh é féin an
maor reilige.
'Níor chóir do dhaoine marbha a bheith
ag siúl na sráide,' ar sé leis.
Bhí an zombaí breá sásta nuair a thug
an maor reilige abhaile é go dtí an reilig.

Cófraí lán ARRACHTAÍ

An Zombaí

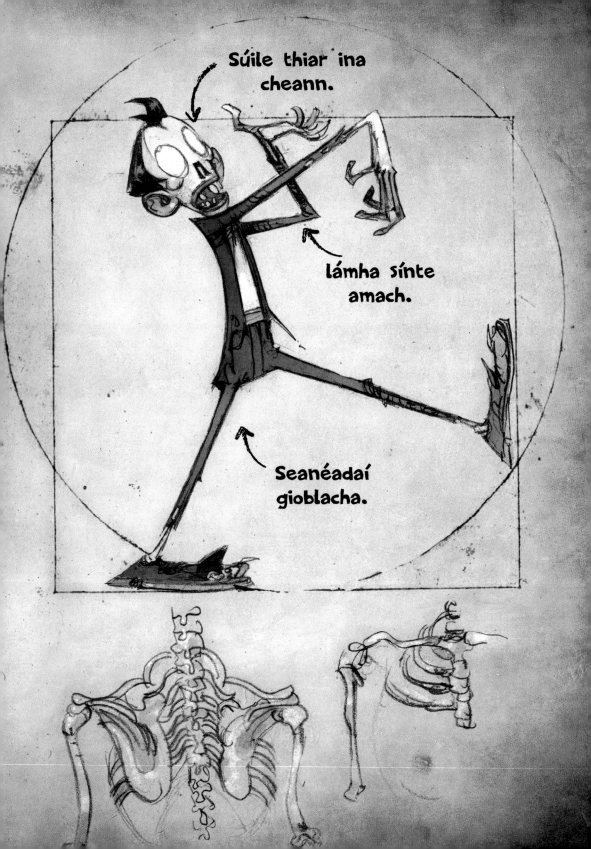

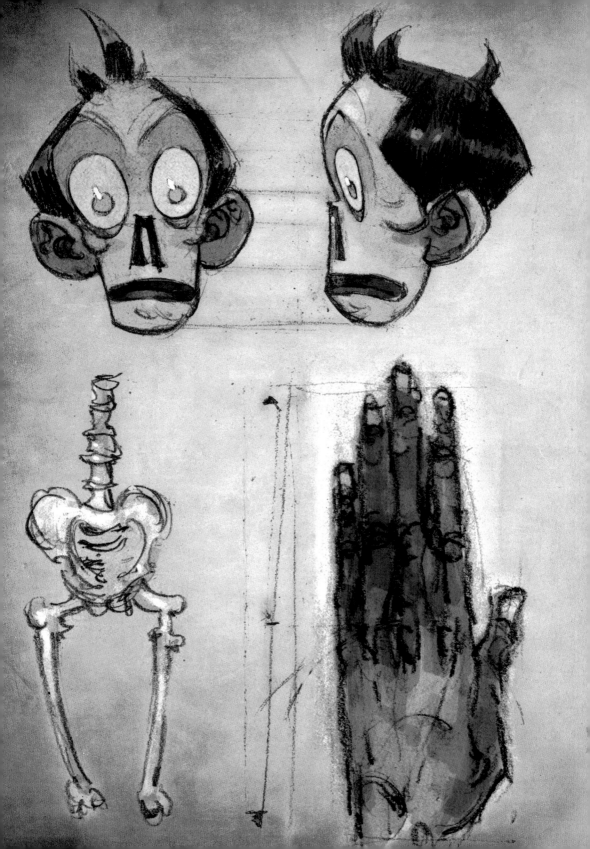

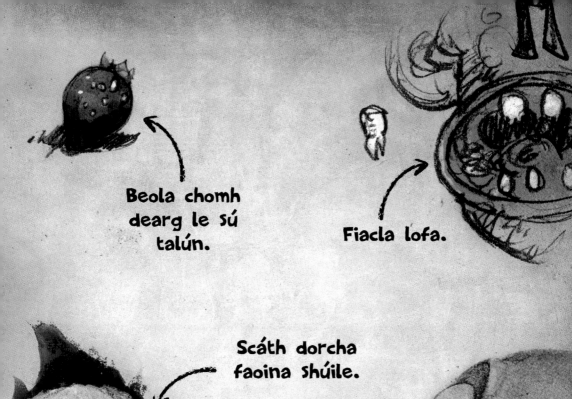

Beola chomh dearg le sú talún.

Fiacla lofa.

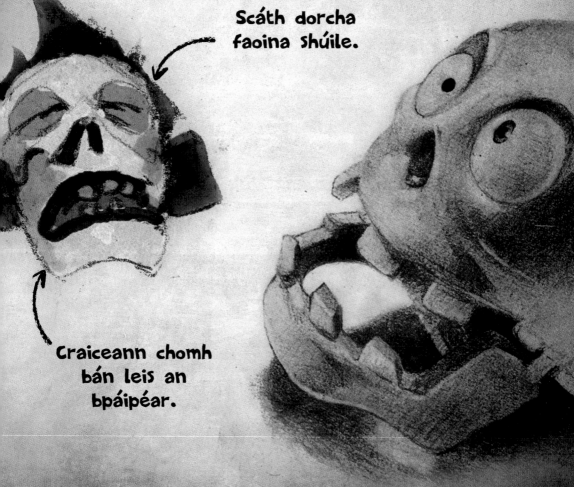

Scáth dorcha faoina shúile.

Craiceann chomh bán leis an bpáipéar.

An Chomhairle um Oideachas
Gaeltachta & Gaelscolaíochta

Faigheann Leabhar Breac cúnamh airgid ó Fhoras na
Gaeilge

Foras na Gaeilge
Faigheann Leabhar Breac cúnamh airgid ón
gComhairle Ealaíon

Teideal i gCatalóinis: *El zombi*
©Enríc Lluch Girbés, 2010
   Leagan Gaeilge © Leabhar Breac, 2014
   www.leabharbreac.com
©Ealaín: Oriol Hernández Sánchez, 2010
©Edicions Bromera
   Polígon Industrial 1
   46600 Alzira (An Spáinn)
   www.bromera.com/monsters
Dearadh: Pere Fuster
Priontáil: PSG
ISBN: 978-1-909907-47-8